# sok aan, moos!

## Daniëlle Schothorst

z ✦💡🚌🛢✉   Zwijsen

roos

moos

3

er is een noot in een boom.
er is een bes in een boom.
en moos is in een boom.
moos eet een bes en een noot.

ik ben moos.
ik ben een aap.
een aap in een boom.
ik ben boos.

er is een sok.
een sok voor moos.
is moos boos?

sok aan, moos.
een sok aan een teen.
een sok aan een poot.

nee!
een aap met een sok!

roos is naar.
moos is boos.
een sok aan een poot.
nee, roos, nee!

is roos boos?
en is moos boos?
is er een sok?

nee, moos, nee.
raar!
een sok in een pet!

oo, oo, moos.
nee, nee, moos.
een sok aan een peer!

oo, oo, moos.
nee, nee, moos.
een sok aan een neus!

een sok aan een teen?
een sok aan een been?
een sok aan een peer?
een sok aan een neus?

nee, roos, mis.
een sok aan een oor!
moos is raar.
roos is boos.

moos is in een boom.
moos eet een bes en een noot.
is er een sok?

nee, moos, nee.
een bes in een sok!
en een noot in een sok!

roos is boos.
een bes en een noot in een sok!
moos is raar.

nee, moos, oo!
een sok in een buik!
een sok, een bes en een noot!
is roos boos?

## Serie 3 • bij kern 3 van Veilig leren lezen

*Na 7 weken leesonderwijs:*

**1. sep is boos**
Frank Smulders en
Leo Timmers

**2. een roos voor toos**
Marianne Busser &
Ron Schröder en
Marjolein Pottie

**3. ris, ris!**
Maria van Eeden en
Jan Jutte

**4. is sem er?**
Anneke Scholtens en
Pauline Oud

**5. ik tem een beer**
Annemarie Bon en
Tineke Meirink

**6. een vis met een pet**
Anke de Vries en
Camila Fialkowski

**7. sok aan, moos!**
Daniëlle Schothorst

**8. saar en toon**
Stefan Boonen en
An Candaele